C000298109

Vuela, Ertico, vuela

Joel Franz Rosell

Premio La Rosa Blanca de Cuba 1997

ediciones **sm** Joaquín Turina 39   28044 Madrid

Colección dirigida por **Marinella Terzi**

Primera edición: mayo 1997
Segunda edición: abril 1998
Tercera edición: octubre 1998
Cuarta edición: febrero 1999

Ilustraciones: *Ajubel*

© Joel Franz Rosell, 1997
© Ediciones SM, 1997
   Joaquín Turina, 39 - 28044 Madrid

Comercializa: CESMA, SA - Aguacate, 43 - 28044 Madrid

ISBN: 84-348-5268-3
Depósito legal: M-1870-1999
Fotocomposición: Grafilia, SL
Impreso en España/Printed in Spain
Orymu, SA - Ruiz de Alda, 1 - Pinto (Madrid)

*Al amigo nuevo que va a nacerme
en una de las páginas de este libro.*

(Y a Edgar Morin.)

1 Robertico, Albertico
o Humbertico

ÉSTE era un chico llamado Robertico, Albertico o Humbertico... (¡Pero qué importa, puesto que vamos a decirle Ertico, como todo el mundo!) Ertico era callado, feíllo y bajito. Se sentaba en medio del aula, permanecía tranquilo en un rincón durante el recreo, y al terminar las clases se iba a casa derechito y solo.

Cualquiera a quien le preguntaran diría que Ertico era así porque le gustaba.

¡Pues no señor, nada de eso!

Ertico soñaba con ser el primero de la clase, hacer las bromas más divertidas, estar en el centro de todo y marcharse a casa rodeado de amigos.

Y no es que Ertico se llevara mal con nadie. Cuando llegaba al colegio, lo primero que hacía era decir:

—¡Buenos días, Fulanita!

—¿Qué tal, Esperancejito?

En clase, si alguien le pedía prestado un rotulador o una regla, lo daba enseguida. Y si era al revés, todo era «Por favor» y «Gracias».

Y a la salida:

—¡Adiós, Zutanita!

—¡Hasta mañana, Menganito!

Probablemente, todo el mundo decía que Ertico era un niño muy bien educado, y alguno hasta lo encontraría simpático. Pero eso Ertico únicamente podía suponerlo o imaginarlo, porque nadie se lo decía ni se lo demostraba. Es que amigos, lo que se dice amigos, Ertico no tenía.

2 Una abuela fuera de toda comparación

Lo que sí tenía Ertico era una abuela: una abuela formidable y fuera de toda comparación.

La abuela de Ertico vivía en el centro, en el barrio viejo, en una calle por la que daba un poco de miedo pasar, en un edificio casi mugriento.

La escalera era oscura, crujiente y llena de olores raros. Un día olía a nido de culebras; otro, a joroba de camello del desierto, y a veces a petróleo de barco. Pero Ertico subía esta escalera silbando, y casi bailando corría hasta la puerta del fondo, en la primera planta, que era la del apartamentito de su abuela.

Una puerta todavía más oscura, crujien-

te y olorosa que la escalera, pero con una plaquita dorada donde se leía:

> ABUELA DE ERTICO

Cada vez que el chico tocaba el timbre, se oía un sonido distinto: unas veces era como un estornudo, otras como el trompeteo de una motocicleta potente, y a veces como si se viniera al suelo la vajilla de porcelana, con vitrina y todo.

Pero cuando la puerta se abría, todo estaba en orden, la abuela aparecía sonriente, y el apartamento inundado de luz.

Esto de la luz es algo que asombraba a menudo al visitante, porque el apartamento de la abuela estaba en la primera planta de un edificio casi mugriento, rodeado de otros edificios tal vez menos mugrientos, pero no menos altos. Así que no sé por dónde podría entrarle aquella claridad.

Y lo mismo daba que fuera invierno o lloviera a cántaros: el apartamento de la abuela seguía igual de luminoso.

Únicamente estaba oscuro de noche,

y eso porque la abuela encendía unas miserables bombillas de quince vatios para economizar.

La abuela de Ertico era formidable, ya lo he dicho, pero no es algo que se notara a primera vista. En el mercado era como las otras viejecitas, con su chal y su carro de la compra, quejándose de la calidad de las lechugas y de que la pensión no daba para nada.

Pero Ertico nunca había acompañado a su abuela al mercado. Él siempre la encontraba en el apartamento lleno de luz, donde le contaba sus alegrías y sus tristezas, como a un amigo.

La abuela le escuchaba atentamente y no le salía con consejos. Meditaba un poco y al cabo le decía:

—A ti lo que te hacen falta son unas natillas de chocolate.

O le ofrecía un flan de limón, o una manzana asada, según. Y apenas dicho esto, daba un golpecito en el borde de la mesa y se iba a su cocina, de donde traía los merengues recién horneados, o el helado de albaricoque, o el pastel de crema que le había recetado a su nieto, según.

3 Ese extraño desván lleno de olores

DE lo que más le hablaba Ertico a su abuela es de que le gustaría tener muchos amigos, y le decía que su problema era que él no se destacaba en nada y que no llamaba la atención.

Un día, Ertico comentó:

—Sabes, *abue*, mañana es la fiesta del Chisme: la bibliotecaria presentará un número de magia, unos chicos de cuarto harán de saltimbanquis, las niñas de primero van a bailar, y chicos y chicas mayores representarán una obra de teatro.

—¿Y tú qué harás?

—¿Yo? Nada. Yo no sé hacer nada... Voy a aplaudir.

La abuela meditó un poco y al fin dijo:

—A ti lo que te hace falta es una bufanda.

Dio su golpecito en el borde de la mesa y se levantó. No para ir a la cocina, claro; pero tampoco para ir al cuarto, donde estaba el armario de la ropa. Lo que hizo fue coger la llave antigua que estaba detrás de la puerta, colgando de un clavo, y decir con una voz algo humeante:

—Ven conmigo.

—¿Adónde, *abue?*

—Al desván.

Ertico nunca había estado en el desván de su abuela. Ella nunca había querido llevarlo, ¡y sus razones tenía!

A medida que subían la escalera, se hacía más oscuro, aumentaban los crujidos y era más fuerte el olor de ese día, que era un olor a gato encerrado.

Cuando se abrió la puerta, Ertico descubrió que el desván de su abuela era el manantial de todas las oscuridades, crujidos y olores de la escalera.

Adentro estaba tan oscuro como esas mañanitas de invierno en que uno tiene que abandonar la cama caliente para irse a la escuela bajo una lluvia helada. El piso, el techo y los trastos viejos crujían, unas veces a coro y otras veces en solitario, como siguiendo una extraña partitura, o como si jugaran al viejo velero de una historia de piratas.

¡Y qué decir de los olores! Todos los perfumes, tufillos y pestilencias del mundo parecían vivir allí. Por ejemplo: la puerta olía a oso por fuera y a almohada por dentro, el ventanuco apestaba a girasoles podridos y el biombo agujereado que yacía en el rincón poseía la famosa fragancia de los vientos alisios.

Aparte de un montón de cachivaches poco interesantes, cada uno con su olor, el desván no contenía otra cosa que un enorme arcón de madera agrietada y negra.

Cuando la abuela levantó la pesada tapa, de su interior salió un apetitoso aroma de vainilla, seguido de un religioso perfume de incienso y de un espantoso hedor de ajos rancios.

Pero la abuela no parecía notar nada de particular y estuvo revolviendo en el arcón hasta encontrar lo que buscaba.

—¡Aquí está! Ya empezaba a temer que las polillas se la hubieran comido.

«No, pero casi», pensó Ertico.

Lo que la abuela sostenía con ambas manos era una viejísima alfombra, toda cubierta de polvo y medio roída por una punta.

A pesar de su avanzado deterioro, la alfombra era bella: el tejido era enrevesado, combinando hábilmente sombríos hilos de lana con luminosas hebras de seda. Mal se podía precisar el color o el dibujo, pero transmitía una impresión de amanecer o de crepúsculo.

—Pero, abuela —recordó Ertico—, ¿tú no estabas buscando una bufanda?

La abuela no le contestó y fue a sentarse en un viejo sillón (que olía a san Benito) y encendió una lamparita con pantalla de pergamino (que olía al «Don Quijote» de Cervantes).

—¡Pero, *abue*...! —empezó Ertico otra vez.

—¡Shhhh! —le interrumpió ella, y añadió en voz muy baja, como si no quisiera despertar a la alfombra—: La bufanda hay que tejerla.

La abuela cogió las agujas de plata que llevaba cruzadas en el moño, y se puso a tejer a una velocidad increíble. Sus manos y las agujas se movían tan rápidamente que sólo se veía una especie de borrón, como en los dibujos animados. Por un lado iba entrando el hilo sombrío y luminoso de la vieja alfombra, y por el otro iba saliendo la bufanda.

4 Cantas como un ángel

ÁL día siguiente, Ertico fue a la escuela con su bufanda de seda y lana. Y no se la quitó en todo el día a pesar del calor que le daba, pues sólo estaban a mediados de octubre.

Comenzó la fiesta del Chisme. La bibliotecaria asombró a todo el mundo sacándose treinta pañuelos de colores del puño. A continuación los chicos de cuarto se subieron unos sobre los otros, caminaron con las manos e hicieron monerías. Luego les tocó a las pequeñas, que no bailaron muy bien, pero lucían preciosas con sus trajes tradicionales. Y después fue el turno de los chicos y chicas mayores, que representaron una escena de la vida heroica del Cid Campeador. Para terminar, la maestra de música iba a tocar el piano. Fue cuando Ertico, con las orejas rojas como geranios,

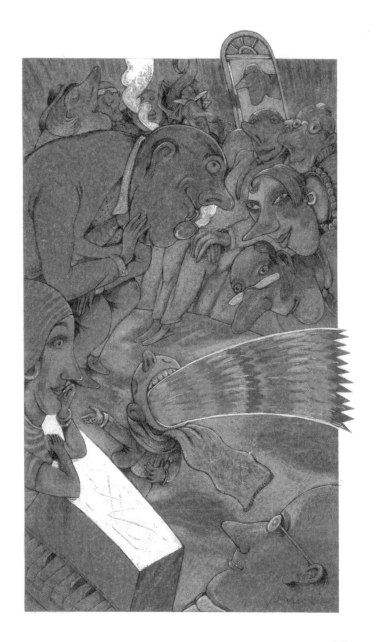

se atrevió a preguntarle si podía cantar con ella.

—Es que voy a tocar el «Ave María» de Brahms.

Ertico no tenía ni idea de qué se trataba, pero se apretó la bufanda, abrió la boca y le salió una maravillosa voz de soprano.

La maestra quedó tan impresionada que no se atrevió a tocar y Ertico cantó solo, sin acompañamiento, arrancando los aplausos más entusiastas de la fiesta.

Durante una semana, Ertico fue el centro de todas las atenciones. Los maestros, la directora del colegio, y hasta el propio alcalde... todo el mundo quería oírlo cantar. Por las tardes, apenas terminaban las clases, su madre lo arrancaba del grupo de escolares para llevarle a casa del más famoso profesor de canto de la ciudad.

Hasta que un día Ertico fue sin bufanda, y el famoso profesor declaró que el chico no tenía ningún talento musical. Después de probar con dos o tres profesores más, sus padres renunciaron a hacer de él un gran cantante.

Ertico volvió a ser el chico de antes. Y a regresar solo a su casa.

5 ¡Ertico campeón!

UNAS semanas después, Ertico estaba de visita en casa de su abuela y le contó que el equipo de fútbol del colegio debía participar en el campeonato municipal.

—Pero van a pasarlo muy mal porque Manolete, nuestro capitán, está con amigdalitis. Todo el mundo se ha puesto muy triste: unos porque el colegio va a perder el campeonato y los otros porque Manolete está enfermo... Tú sabes, él es el chico más popular del cole.

La abuela miró a Ertico detenidamente, pensó un poco y dio un golpecito en el borde de la mesa:

—¿Sabes qué? —le dijo—: lo que tú necesitas es un par de medias.

El equipo de fútbol del colegio no tardó en verse arrinconado, con marcador de

3 goles a 0. Ya estaba terminando el segundo tiempo cuando Ertico, con las orejas rojas como amapolas, fue a pedirle al entrenador que lo dejara entrar al terreno.

El hombre miró las flacas piernas de Ertico, que parecían todavía más flacuchas con aquellas medias de lana y seda, sombrías y luminosas al mismo tiempo. Ya iba a responderle que no cuando el árbitro expulsó al mejor jugador que le quedaba.

«Peor no podemos estar», pensó el entrenador, y le dijo:

—Está bien, ve.

Ertico corrió como un fórmula uno, se apoderó del balón, esquivó a los defensas del equipo contrario y metió su primer gol en quince segundos.

Para no cansarte, te diré que el partido terminó 15 a 3, a favor del equipo de Ertico.

Ese día lo subieron a hombros y todos querían andar con él.

Pero con el fin del campeonato y la llegada del invierno, el fútbol se acabó.

Ertico volvió a ser el de antes: callado y flaquito, sentado en medio del aula y solitario en un rincón del patio durante el recreo.

Y, al fin, fue a ver a su abuela con las medias de futbolista en un bolsillo.

—Gracias, pero no funcionó...

6 ¿Qué no sabrás tú?

DESPUÉS de esto, Ertico se puso los guantes que le tejió su abuela para administrarle una corrección inolvidable a Fortachón, uno de octavo que siempre andaba buscando pleitos. Y luego fue lo del chaleco, de lana sombría y seda luminosa, que hizo de Ertico el niño más elegante del colegio. Y más tarde lo del bolsillo tejido donde, cada vez que metía la mano, Ertico encontraba una moneda de quinientas pesetas, nuevecita, para convidar a sus compañeros a tomar una gaseosa o comer un pastel.

Cada una de esas cosas hizo de Ertico un niño muy popular durante unos días. Pero pronto volvía a ser el chico bajito, callado y feíllo, sentado en medio del aula y tranquilo en un rincón del patio, que regresaba solo a casa.

Hasta que al fin Ertico tuvo la idea de ser el primero de la clase.

—¡Cómo no se me ha ocurrido antes! Todo el mundo se fija en el primero de la clase. Todo el mundo sueña ser el primero de la clase. Todo el mundo quiere estudiar con el primero de la clase.

Esta vez la abuela miró a Ertico de una manera un poco extraña y demoró más tiempo en decir:

—A ti lo que te hace falta es un sombrero.

Y cuando dio su golpecito en el borde de la mesa, ésta dio un respingo, porque más que un golpecito parecía un golpetazo.

Ertico y la abuela subieron al desván. El sillón (que ese día olía a sanseacabó) estaba más desfondado que nunca, pero el trasero de la abuela era tan gordo que no corría el riesgo de pasar a través del agujero. La lamparita tampoco alumbraba demasiado bien y esta vez no olía ni siquiera al «Lazarillo de Tormes», sino simple y llanamente a chamusquina.

Pero lo peor era la alfombra: ya no quedaba de ella nada más que un pedacito y la abuela sólo pudo tejerle a Ertico un sombrero pequeñito y sin alas, parecido a un cucurucho.

A pesar de tan malos augurios, el sombrerito cumplió su cometido. El primer día en que lo llevó al colegio, Ertico pasó por la pizarra diecisiete veces y contestó tan bien las preguntas y problemas que la maestra empezó a tener miedo de interrogarle, no fuera él a saber más que ella.

Enseguida la mitad de la clase empezó a ir a casa de Ertico a estudiar, y si la otra mitad dijo que no le hacía falta fue, creo yo, porque estaban celosos.

A menudo Ertico iba a las clases superiores para servir de ejemplo a los mayores, sobre todo a los de octavo, que tenían fama de pensar más en las fiestas del fin de semana que en el rendimiento académico.

Un día la directora del colegio invitó a un equipo de inspectores para que se asombraran con los conocimientos de Ertico, y otra vez lo llevaron a la televisión y ganó en todos los concursos.

Pero con tanta fama, Ertico salía de su primer banco de la clase para irse a hacer el mono sabio en otras aulas y colegios, y cuando al fin tenía un poco de tiempo libre se quedaba solo en su rincón del patio porque los otros chicos le tenían miedo u ojeriza.

7 Todo como al principio

ERTICO nunca había estado tan triste como el día en que llegó al edificio de su abuela cargado con aquella caja. Tan mal se sentía, que no se dio cuenta de que por allí no todo andaba bien.

La escalera olía a borrasca y crujía como el velero pirata del que ya te he hablado (pero no como cuando lo mecían los vientos alisios, sino como cuando rugía el huracán). Hasta relámpagos azules cruzaban la oscuridad de la escalera... (¿No era un viejo tubo de luz fluorescente que fallaba?)

Cuando Ertico apretó el timbre no salió otro sonido que una especie de hipo, y la puerta se abrió refunfuñando. Sin embargo, el apartamentito de la abuela apareció tan luminoso como siempre, y olía a primavera, a churros con cacao y a fuegos de artificio.

Nada de esto animó a Ertico, que depositó su caja sobre la mesa: en el interior estaban la bufanda del canto, las medias de futbolista, los guantes de la fuerza, el chaleco elegante, el bolsillo rico y el sombrerito de la inteligencia.

Con un profundo suspiro, Ertico dijo:

—¡Ya ves, abuela, de nada ha servido! Tendré que resignarme a no tener amigos.

La abuela se le quedó mirando, pensativa. Pero al fin dio su golpecito en la mesa, esta vez suave como una caricia.

—Ven —le dijo.

Y subieron una vez más al desván.

8 Misterio, misterio y misterio

LA abuela se sentó en el sillón desfondado (que olía a sándalo, pues de esa madera estaba hecho). Se sacó las dos agujas de oro que llevaba en el moño, agarró un hilo que sobresalía del sombrerito-cucurucho y comenzó a retejer la alfombra.

Esta vez sus manos se movían lentamente y con cada puntada pronunciaba un verso, pero lo decía tan rápido y tan bajito, que Ertico no entendía nada más que el final.

—...uga.

—...verruga.

—...jiga.

—...vejiga.

—...copia.

—...cornucopia.

Y así.

De vez en cuando, las agujas chocaban

entre sí y a Ertico le pareció que echaban chispas y que justo en ese momento saltaba un olor raro: a relámpago, a pólvora, a azufre amarillo, a veneno para cucarachas...

Pero no estaba seguro y ni siquiera podía preguntarle a la abuela. Ella estaba muy concentrada en su tejido y por nada del mundo debía perder ni una de las puntadas que, por cierto, contaba al revés:

—...nonentaytresmilseiscuantaspecientas... nonentaydosmilcerocincoytalquecientas... nonentayunmilcuatrocontrarequetecientas...

Ertico se sentía muy raro. A cada rato se quedaba como dormido y enseguida lo despertaba un coro de crujidos idéntico a una risotada de muebles viejos. Una o dos veces tuvo la impresión de que su reloj giraba hacia atrás; pero cada vez que lo miraba fijo, las manecillas, que llevaban guantecitos blancos, se veían quietas e inocentes.

Y entonces la abuela acababa una puntada y un verso, decía uno de aquellos números *extrañilargos*, y saltaban un chispazo y un olor a cortocircuito.

Así fue hasta que, de repente, delante de Ertico apareció la alfombra. Estaba igual que la primera vez que la había visto: toda cubierta de polvo y medio roída por una punta, decrépita, pero bella: con su tejido entrelazando hábilmente sombríos hilos de lana y luminosas hebras de seda. Y trasmitiendo más que nunca la impresión de un crepúsculo o un amanecer.

Con la última puntada, la abuela se había quedado dormida, cansadísima, y de las manos se le cayeron las agujas de oro. Se habían gastado tanto que ahora parecían dos alfileres al rojo vivo y hasta tenían un cierto olor a ascuas.

Ertico también sintió sueño y se sentó encima de la alfombra, con la espalda apoyada en las gordas rodillas de su abuela.

9 El tiempo pasa volando

CUANDO despertó, estaban flotando los dos: él sentado en la alfombra y la alfombra posada en el aire.

Debajo de ellos no había nada. Es decir, había el tejado del edificio en que vivía la abuela, pero a unos cinco metros de distancia.

Ertico casi se muere del susto.

Por el ventanuco del desván veía a su abuela, todavía dormida en su sillón de sándalo, suavemente iluminada por la lamparita de pergamino, que olía tan fuerte que el chico, sentado en la alfombra en medio de la noche, podía sentirlo: era un intenso olor a «Las mil y una noches».

—¿Y ahora qué hago? —murmuró Ertico—. ¿Cómo me bajo de aquí?

(¿Y por qué ibas a bajarte?)

—Porque tengo miedo de caerme.

(No te caerás.)

—¿Quién me lo asegura?

(Yo.)

—¿Y quién es Yo?

(Complexus.)

—¿Qué?

(Complexus, me llamo Complexus.)

Y entonces Ertico se dio cuenta de que la alfombra voladora le hablaba.

Bueno, lo de «hablar» es una forma de decir, porque las alfombras voladoras no hablan como tú y yo, soltando sonidos por la boca. Las alfombras no tienen boca y se expresan de forma muy complicada: usan para ello su olor, sus colores, el dibujo formado por su tejido y ciertos movimientos especiales.

Por ejemplo, si una alfombra quiere hablar de nardos o de tomates lanza al aire un perfume de nardos o un olor de tomates (para eso sirve el polvo: para conservar un rastro de las cosas que una ha conocido). Si quiere hablar del mar, la alfombra no tiene más que agitar sus hilos azules o verdes como un oleaje.

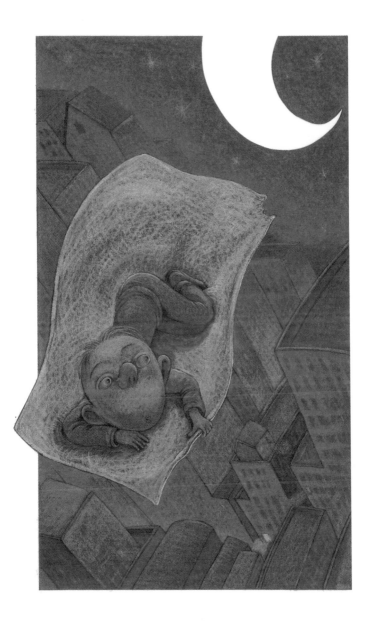

Otra cosa es cuando, por ejemplo, Complexus le pide prestada a Ertico su navaja suiza de siete hojas: lo que ella hace es mostrarle los hilos de lana que tiene en la parte de abajo; o sea «lana baja». Más difícil todavía es comprender una idea como «amar»; para eso la alfombra enseña un comienzo de color amarillo, de la misma forma que para decir «yo» enseña un final de ese color.

Estarás pensando que las alfombras voladoras tienen una ortografía pésima, y así mismo es: no intentes explicarles la diferencia que hay entre *ba* y *va* o entre *yo* y *llo*, porque no la van a entender.

Y no me preguntes tampoco cuál es la diferencia entre el comienzo y el final de un color porque no tengo ni idea. Son cosas que sólo saben los que han conversado mucho con alfombras.

Cuando una alfombra voladora habla, lo que ocurre es un vértigo de cambios de colores, formas y olores. Algo tan rápido y enrevesado como cuando haces avanzar a toda velocidad una cinta en el vídeo.

Hay quienes estudian el lenguaje *alfombrio* durante una vida entera, y acaban comprendiendo solamente algunas frases sencillas. Pero los hay que entienden a las alfombras voladoras inmediatamente: Ertico era uno de ésos.

A él le resultaba tan fácil entender a su alfombra que al principio ni se había dado cuenta de que era ella quien le hablaba y creía estar conversando consigo mismo.

Ertico y Complexus se pasaron horas charlando, suspendidos en el aire por encima del desván de la abuela. Pero como era una charla silenciosa y suave, el chico acabó por dormirse y siguió hablando en sueños.

10 Por favor, Complexus, no te rías

AL día siguiente, Ertico se despertó en su cama. Su primera idea fue que lo había soñado todo, pero entonces vio que había dormido vestido y con zapatos, y que la alfombra estaba tendida delante de la cama.

(Buenos días), dijo ella, agitando alegremente sus flecos más luminosos.

—Buenos días, Complexus.

Como era domingo y Ertico no tenía que ir al colegio, podían ponerse a conversar sin prisas.

«¡Conversar de nuevo!», te oigo gritar. «¿Pero de qué se puede hablar tanto tiempo con una alfombra?»

Pues de muchísimas cosas. Cosas todas muy profundas e interesantes, de las cuales no tienen ni idea, por supuesto, las alfombras comunes y corrientes.

Piensa que Complexus era muy vieja y había visto mucho mundo. Además, llevaba años y años sin hablar con nadie (por aquello de lo difícil que es el lenguaje *alfombrio*). Pero también llevaba mucho tiempo sin volar.

—¿Y por qué? —se asombró Ertico—. ¿Mi abuela te lo tenía prohibido?

(Claro que no. Nadie puede prohibirle a una alfombra mágica que vuele.)

—¿Entonces?

(Es que una alfombra no puede volar sola.)

—¿Y por qué no volabas con la abuela?

La alfombra se rió... y estuvo a punto de provocar una catástrofe.

Ver reír a una alfombra voladora es uno de los espectáculos más extraordinarios del mundo. Cuando una alfombra se ríe, salta en el aire como un chico en un colchón elástico, curvándose como los labios del payaso más risueño. Pero lo mejor es que quien ve reír a una alfombra también rebota en el aire y se dobla de risa. Y entonces ocurre algo todavía más sorprendente, y es que todo lo que oye reír a quien se ríe junto con una alfombra, empieza a saltar también en el aire y a tomar la forma curva de una carcajada.

De manera que junto con Ertico y la alfombra, saltaban la cama, el armario y el escritorio de Ertico, y la almohada y el colchón y las sábanas, y los zapatos y los libros, y la papelera y sus papeles, y los cuadros de las paredes.

Y hasta la ventana y la puerta comenzaban a hacer contorsiones de risa contenida, cuando alguien golpeó enérgicamente la puerta.

—¡Ertico, qué escándalo es ése! ¡Abre enseguida!

La alfombra dejó de reírse. Ertico dejó de reír y saltar, y todas las cosas del cuarto dejaron de comportarse de manera extraña.

Cuando el papá de Ertico entró, todo estaba en orden.

—¿Qué pasa aquí?

—Nada —respondió el chico. Y era verdad: ahora ya no pasaba nada.

El padre echó una mirada desconfiada en torno.

—Era la grabadora, ¿no? ¿Cuántas veces te hemos dicho que no subas tanto el volumen? Después los vecinos se quejan...

Su mirada se detuvo en Complexus.

—¿De dónde has sacado ese felpudo tan raído?

(¿Felpudo, yo?), protestó la alfombra voladora, herida en lo más profundo. Pero el padre de Ertico no la «oyó».

—Es un regalo de la abuela —dijo simplemente Ertico.

—Ah, ya... —suspiró el padre, resignadamente—. Bueno, ven, que vamos a desayunar.

Sólo tres horas más tarde, Ertico pudo quedarse a solas con la alfombra voladora y saber por qué le había dado tanta risa cuando le había preguntado si nunca había volado con su abuela.

(¿Tú no has visto lo gorda que está ella y lo flaca que estoy yo?), respondió la alfombra con una risita que la puso a revolotear y proyectó a Ertico en un triple salto mortal de espaldas.

Pero enseguida se puso seria y todo quedó en calma.

(En realidad, no todo el mundo puede hacer volar a una alfombra voladora), aclaró Complexus.

Y tras hacer una pausa larga, señal de que estaba meditando muy profundamente, soltó la frase que menos había esperado Ertico oír en su vida:

(A mí sólo puedes hacerme volar tú.)

—¿Yo?... ¿Estás bromeando?

(En absoluto: tú eres imprescindible para mí.)

—Pero si yo no sirvo para nada. En nada me destaco. Mira cómo son las cosas, que nadie quiere ser amigo mío. ¡Tú no sabes la de esfuerzos que he hecho!

(Claro que lo sé: lo de la bufanda, las medias, el chaleco, el sombrerito... ¿A quién se lo cuentas?)

—¡Ah, sí; es verdad, perdona...! ¿Te ha dolido mucho cuando la abuela te destejía?

La alfombra no quiso hablar de eso. Se puso oscura de repente, pareciéndose más que nunca a un atardecer.

(Lo que te interesa saber es que tú me haces volar porque eres como eres. Y los que verdaderamente quieran ser amigos tuyos, será porque te aprecian así como eres y no porque seas de otra manera.)

11 Clases de vuelo

TODAS las tardes, Ertico y Complexus daban grandes paseos por encima de los tejados de la ciudad. A veces hasta se iban a las afueras y planeaban sobre las colinas, cruzándose con pájaros, helicópteros y alas delta.

Pero ya había pasado una semana sin que Ertico fuera al colegio en alfombra voladora. Y no es que no tuviera ganas, ¡al contrario!, sino que no se atrevía a pedírselo.

—¿Y si Complexus se ofende? Podría creer que otra vez trato de hacer amigos usándola a ella.

Por eso, aunque cada día pensaba más en el asunto, Ertico siempre se mordía los labios y arrinconaba su deseo.

Sin embargo, una mañana, cuando estaba cerrando la cartera y pensando en lo divertido que sería ir juntos al colegio, Complexus exclamó:

(¿Y por qué no?)

Ertico la miró asombrado.

—¿Me lees los pensamientos?

Complexus se puso muy colorada. Tal parecía que todos sus otros colores habían desaparecido.

(Sólo cuando deseamos la misma cosa.)

La alfombra voladora tuvo una formidable acogida en el colegio. Desde el primer día, todos quisieron que Ertico los llevara a dar un paseo en el lomo de lana sombría y seda luminosa de Complexus. Los que no podían montar (porque solamente dos podían ir con Ertico cada vez) se quedaban mirando cómo la alfombra subía a poner en el cielo azul un pedacito rectangular de amanecer o de caída de la tarde.

A la hora del recreo, durante la pausa del mediodía y después de la salida, Ertico y la alfombra volaban y volaban, llevando a bordo dos encantados pasajeros.

Pero de vez en cuando el chico decía:

—Ahora no, Complexus está cansada.

Al principio, algunos creyeron que era él quien no tenía ganas, pero pronto se dieron cuenta de que Ertico y la alfombra conversaban. Y esto hizo que comenzaran a mirarle con otros ojos.

Dos niñas y otro chico descubrieron un día que ellos también comprendían algo de lo que la alfombra decía. Eran los que más a menudo volaban con Ertico, y poco a poco fueron haciéndose amigos.

Ahora Ertico iba todos los días en alfombra al colegio y siempre regresaba a casa volando, acompañado por alguno de sus nuevos amigos.

Sin embargo, la felicidad duró poco.

Una comisión de padres fue a quejarse ante la directora porque sus hijos andaban volando por ahí con un menor de edad.

—Es inadmisible —dijo uno de ellos, muy inquieto y serio—. Piense usted que ese chico no tiene carné de conducir.

—No se preocupe, señor Inquietoserio

—respondió la directora—. Tomaré las medidas necesarias.

Y así se acabaron los paseos a la hora del recreo y durante la pausa del mediodía.

Pero Ertico seguía yendo al colegio y marchándose en alfombra, y con él los chicos a quienes sus padres habían dado permiso para volar.

Y entonces fue una comisión de profesores y empleados escolares la que presentó sus quejas.

—Es intolerable —decía la profesora más exigente y recta de entre ellos—. ¿Qué autoridad moral e intelectual podemos tener ante un niño que vuela y una alfombra que pretende hablar? ¡Cuando las cosas toman ese camino nunca se sabe adónde pueden llegar!

—No se preocupe, señorita Exirrecta —contestó la directora—. Tomaré las medidas necesarias.

Y así le prohibieron a Complexus la entrada en el colegio.

12 ¿Qué crees tú, abuela?

ERTICO, Complexus y sus tres amigos fueron a ver a la abuela para contarle su problema.

Ese día la escalera olía a verano y crujía como arena de playa tostada por el sol. Cuando tocaron el timbre se oyó claramente un canto de cigarras y al abrirse la puerta encontraron unas plumas de golondrina en el suelo.

La abuela los recibió sonriente y extrañamente bronceada.

—Me han prohibido llevar a Complexus al colegio —dijo Ertico enseguida, sin dejarse impresionar por la felicidad que reinaba en el ambiente.

—Se han quejado los padres —explicó una de las niñas, que se llamaba Ana.

—Y los maestros —añadió la otra, que se llamaba Cleta.

—Y también el personal de servicio —recordó el chico, que se llamaba Filiberto, Remberto o Adalberto y por eso todo el mundo le decía Berto.

La abuela los escuchaba atentamente. Como la alfombra, que se había tendido ella misma en la baranda del balcón a tomar el fresco.

—A vosotros lo que os hace falta es una limonada bien fría —dijo la abuela, y se levantó sin dar su famoso golpecito en la mesa—. Venid, vamos a prepararla.

Se fueron los cinco a la cocina. Ana sirvió el agua, Cleta echó el azúcar, Berto sacó los cubitos de hielo...

—¿Y los limones, abuela? —preguntó Ertico.

—Están en el armario.

Ertico abrió la puertecita blanca. Del fondo del armario, que se perdía en medio de una luz intensa, salía la rama de un limonero, con sus hojas pulidas y sus frutos amarillos como soles.

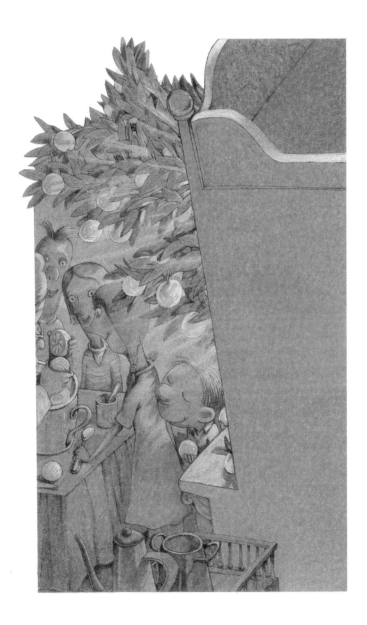

—Ten cuidado con las espinas —le advirtió la abuela.

Cuando los cortaron, los limones olieron a gloria.

Fue entonces cuando la abuela, por una vez en la vida, les dio un consejo:

—¿Qué importancia tiene que no os dejen llevar a Complexus al colegio? Pensad que dentro de unas semanas comienzan las vacaciones de verano.

Ertico vio que su abuela le hacía un guiño: su ojo derecho se cerró con gracia cómplice, y lo mismo hicieron el vidrio de aumento y el aro derecho de sus gafas.

—Lo que cuenta es que nadie puede impediros ser amigos —concluyó.

Y esta vez sí dio su golpecito mágico en el borde de la mesa.

Índice

EL BARCO DE VAPOR

SERIE AZUL (a partir de 7 años)